BLACKBURN

Emma Chichester Clark

C'est lui,
c'est Doux Kangourou !

kaléidoscope

Pour Jack Brown,
le petit frère de
Lily

Texte traduit de l'anglais par Élisabeth Duval

Titre de l'ouvrage original : IT WAS YOU, BLUE KANGAROO !
Éditeur original : Andersen Press
Copyright © 2001 by Emma Chichester Clark
Tous droits réservés
Pour la traduction française : © Kaléidoscope 2002
Loi n° 49.956 du 16 juillet 1949 sur les publications
destinées à la jeunesse : mars 2002
Dépôt légal : mars 2002
Imprimé en Italie par Grafiche AZ

Diffusion l'école des loisirs

Doux Kangourou appartient à Lily.
Il est tout bleu et rien qu'à elle.
Parfois, quand Lily fait une bêtise, elle dit :
"C'est lui, c'est Doux Kangourou."
Doux Kangourou regarde alors Lily en silence.

Un jour, Lily décide de donner un bain moussant à ses poupées.

Elle remplit l'évier d'eau savonneuse et les frotte énergiquement.

Puis elle va chercher une serviette…

… et Doux Kangourou
se demande si l'eau
va cesser de couler.

"Lily ! crie Maman. Qui a laissé le robinet ouvert ?"
"C'est lui, c'est Doux Kangourou !" dit Lily.
Doux Kangourou regarde Lily en silence.

Le lendemain, Lily trouve de vieux vêtements de bébé.
Elle pense qu'ils iront parfaitement bien au chat.

Mais le chat gigote quand Lily
lui enfile la barboteuse…

… il feule et il grogne
et Doux Kangourou
s'inquiète.

Tout à coup, le chat devient fou. Il bondit des bras de Lily

et s'agrippe aux rideaux. La chute est fracassante.

"Lily !" crie Maman.
"C'est lui, c'est Doux Kangourou !" dit Lily.
Doux Kangourou regarde Lily en silence.

Lily emmène Doux Kangourou dans le jardin.
Son petit frère fait des pâtés dans le bac à sable.
Il joue bien sagement.

"J'ai besoin du seau !" dit Lily.
"Non ! Mon seau !" crie son petit frère.

Il hurle et il hurle…

"Tu vas te faire gronder !"
pense Doux Kangourou.

"Lily, qui a fait ça ? » demande Maman.
"C'est lui, c'est Doux Kangourou !" dit Lily.

"Hum ! Tu ferais bien de le monter dans ta chambre et de rester
près de lui jusqu'à ce que je l'autorise à redescendre", dit Maman.
Doux Kangourou regarde Lily en silence.

Lily reste dans sa chambre avec Doux Kangourou.
Elle décide de vider ses tiroirs…

… et de jeter tous ses vêtements
par la fenêtre.

Doux Kangourou
préfère ne pas regarder.

"Ooooh !' s'exclame Tante Jemina.
"LILY !" hurle Maman.

"Lequel de vous deux a jeté ces vêtements ?" demande Maman.
"C'est lui, c'est Doux Kangourou !" répond Lily.
Doux Kangourou regarde Lily en silence.

"Bon, puisque Doux Kangourou n'est pas sage du tout,
il va rester seul en bas", dit Maman.
Et elle pose Doux Kangourou en haut de la bibliothèque.

Cette nuit-là, Lily refuse d'aller se coucher.
"Je ne dors jamais sans Doux Kangourou !" supplie-t-elle.
Mais Maman ne cède pas.

"Je suis désolée, Doux Kangourou", dit Lily,
et elle s'endort en sanglotant.

Doux Kangourou est malheureux
tout seul dans le noir.
Il ne dort pas, il réfléchit.

Soudain, il a une idée…

Il trouve un crayon et une feuille de papier,
et il se met à dessiner.

Quand il a terminé son dessin, il monte sans bruit l'escalier
et glisse la feuille de papier sous la porte de la chambre de Maman.

Puis il redescend, bondit en haut de la bibliothèque et attend.

"Quelle charmante surprise, Lily, dit Maman.
Qui a fait ce dessin ?"

Lily regarde le dessin.
"C'est lui, c'est Doux Kangourou !"
murmure Lily.
Et Doux Kangourou sourit en silence.